스물넷

시집

(全期)_그 기간의 전체

BOOKK

스물넷, 시집

발　행 | 2024년 07월 24일
저　자 | 최규헌
펴낸이 | 한건희
펴낸곳 | 주식회사 부크크
출판사등록 | 2014.07.15.(제2014-16호)
주　소 | 서울특별시 금천구 가산디지털1로 119 SK트윈타워 A동 305호
전　화 | 1670-8316
이메일 | info@bookk.co.kr

ISBN | 979-11-410-9678-6

스물넷 시집

全期一 그 기간의 전체

2024年

여름에도

꽃은

핍니다

12월 말의 겨울, 민들레

12월 말의 겨울

차가운 땅 위에 등을 맡긴 채

시린 공기를 코 끝에 담아내고
눈에 보이는 모든 것들을 눈에 담았습니다

나무와 별 그리고 하늘
어쩜 이리 예쁠까요

민들레

어느 순간

씨앗이 날라와
내려앉았습니다

예쁜 화분에
민들레를 담아

같이 꽃을 피워보아요

구름 위를 걷는 기분을 안다

구름 위를 걷는 기분을 안다

아침에 일어났는데 따뜻한 햇살이
내 얼굴을 덮어주는 기분

에어컨을 틀고 이불 속으로
몸을 피하는 기분

문제를 풀었는데
정답을 모두 맞춘 기분

나는 구름 위를 걷는 방법을 안다

매년 여름에 피는 꽃

매년 여름에 피는 꽃

이름도 몰랐고
우리 집 주위에 이렇게 많은 줄도 몰랐다

2024년 여름에
나는 이 꽃의 이름을 알게 되었다

누군가 알려주지 않았다면
나는 내 주변의 아름다움을 놓칠 뻔했다

이 꽃의 이름은 수국이다

장마가 시작되었다

장마가 시작되었다

집에 있는 창문을 닫고
나무를 바라보았다

나무는 거센 비를 맞으며
홀로 서 있었고

잎에 맺힌 눈물을 봤지만,

빗물을 머금어야
더 성장할 수 있다는 것을 알기에

응원만 할 뿐이다

개구쟁이 햇빛

빛이 커튼 사이로,
그리고 잠자고 있던 내 눈꺼풀 사이로

잠에서 깰 땐 밉기도 하고
빛을 보면 좋기도 하고

나를 괴롭히고 장난도 많이 치지만,

나는 이 개구쟁이 햇빛과
같이 산책하는 것을 좋아한다

따뜻하면서
눈이 부시고
기분이 좋아지는 이 개구쟁이 햇빛이 좋다

빛은 나를 찾는다

드넓고 깊은 바다 아래
돌 틈 사이에 갇혀
저 멀리 있다는 빛을 보려
몸을 비틀어 상처를 내며
몸을 깎아 나왔는데

다른 이들이
피 냄새를 맡고
나를 쫓기 시작한다

버티자 버티자

나는 빛을 보려 한다

내 몸에 상처가 중요한가
앞에 놓인 힘듦이 중요한가

나에게 중요한 것은 빛이다

그것이 나를 감싸 안아
나에게 묻은 피와 상처들을 빛나는 모습으로 바꿔 줄 것이다

나는 빛을 보기 위해 태어났다

빛은 나를 찾고 있고
내가 찾아가는 것은 당연하다

나는 빛이다 나는 빛이다

빛은 나를 찾고 있고
내가 찾아가는 것은 당연하다

난 내가 해낼 것임을 안다

그것은 나를 감싸 안아
나에게 묻은 모든 상처들을

빛나는 모습으로 변하게 해줄 것이다

안개

앞으로 가야 하는 것을 아는데
안개가 꼈다는 이유로
나는 지금 멈춰있다

민들레와 같이 가야 하는 것을 아는데
내 마음속의 답답함 때문에

나에게 건네는
민들레의 손을

놓쳐버린다

변하지 않는 것에 대한 고통

습하다

불쾌하고 끈적끈적하다

나는 여름을 보내고 있기 때문에
어쩔 수 없는 과정이다

여름은 이 과정이 고통스럽다는 것을 알까

아마,
모를 것이다

여름은 매년 똑같이 살아왔기에
그렇기에 여름은 변하지 않을 것이다

습한 날씨를 받아들일 수밖에 없다는 뜻이다

내 텃밭의 장미

꽃집에 있는 장미가 좋아
내 텃밭에 심었고

텃밭 한편에 자리 잡은
사랑하는 장미를 안았더니

안 보였던 줄기의 가시들이
나를 아프게 했다

서로 간의 거리를 둬야 하는 것도 모르고
나는 그저 좋다고 계속 안기만 했다

피를 흘리면서

"한 번 살다 가는 것, 즐긴다는 마음으로 살 수 있지 않을까.
잘 먹고 잘 사는 것보다
불행한 일이 닥쳤을 때 맞이하는 자세가
행복 지수를 결정한다더라.

위기가 와도 하나의 재밌는 이벤트라 생각하면.

인생은 외줄 타기 같다,
떨어지면 떨어지는 대로 받아들이려고 한다"

-
유퀴즈中 기안84가

2001年

7月

30日

- 최규헌

변하지 않는 것에 대한 노력

물을 내 손에 담는다

흘러내려
없어질 것을 알아도

물을 내 손에 담는다

나에게 담기지 않는 것을 아는데도
그저 물이 좋아

내가 억지로 억지로

물을 내 손에 담으려 했다.

모두에게 좋은 사람일 수는 없다고
속 편한 핑계를 댈 때마다
형님을 생각하게 됩니다.

그러면 저는 '친절한 사람이 가장 강한 사람이다'라는,
내내 의심해왔던 말을 한 번 더 믿기로 합니다.

매일 밤 내일은 더 나은 사람이 되어야지 다짐하지만
어제보다 못할 때도 많아요.

그래도 오늘은 또 잘 살아보자 용기를 내보는 것은
형님 덕분입니다 고맙습니다.

모두가 나를 알고 있는,
사실은 외로운 세상에서 늘 형님의 안녕이 궁금합니다.
뵌 적도 없지만요.

매 순간 그럴 수는 없겠지만
대체로 행복하시길 바랍니다.

더 드리고 싶은 말이 많지만 이런 말들도 부담이 될까봐
마음만 남겨둡니다.

항상 고맙습니다.

2022.가을. 상훈올림

-

유퀴즈中 유재석님에게 쓴 문상훈의 편지.

•

나무의 아픔

매연을 마시며
자라난 가지는 잘리고

봄에 핀 벚꽃은 예쁘다고 뜯겨나갔다

이 거리에 살고 싶어서 있는 게 아닐 텐데
이 거리에 있고 싶어서 사는 게 아닐 텐데

나무는 내게 눈물을 머금으며 말한다

여기에
이 거리에
자신을 심어놓은 어떤 이를 원망한다고

무언가 잘못된 나무의 뿌리

나도 알아
그 방향으로
뿌리를 내리면 안 되는 거 알아

아는데 내 맘대로 안되는데
내가 어떻게 해

괜히 모난 말에
괜히 자존심에

내가 내가 아니야
그냥 그렇게 된다고

내 마음 좀 알아줘
그리고 나를 그 길로 못 가게 막아줘

난 거기로 가고 싶지 않아

바다와 나무의 얘기

바다는 바다고
나무는 나무야

사는 곳도 다르고 또...
아니 그냥 모든 게 다 달라

다른 건 너무 당연해

근데 나는 그런 부분에 대해 얘기를 해보자는 거야

계속 말하고 또 말해서
이제는 그냥 알 거라 믿어

기억 날 거야
가지들을 내어주며 부러지고 짜증 내고 그런 게 반복이었잖아

지금 날씨는 어때?

좋잖아,
잠깐 휘청일 뿐이야
그니까 무너지지 말자

날씨

참나
아침에 그렇게
비를 쏟아냈으면서

이제는 또 말도 안 되게 덥네

근데 뭐 어쩔 수 없지

받아들이자

민들레는

꽃잎이 다 떨어지고 난 후에

우리가 아는 그 하얀 홀씨들로 가득 메워져 피어나게 됩니다.

꽃잎이 떨어졌다고 끝이 아니란 말이 하고 싶었습니다.

-
민들레에 대한 내 생각

형태를 잃어간다

잎새는 따뜻한 햇볕에 자라나고
강한 바람에 휘날리기도 하며
내리는 비에 눈물을 흘리고
추운 겨울이 오기 전 가을에는 이별을 준비한다

시간의 흐름에 따라 가지를 놓치게 되는 잎새들은
색이 바래 점점 형태를 잃어간다

마치, 삶과 같다는 생각을 한다

가지에게 붙어있을 이유가 없어진,
현생을 살아갈 이유, 목표 그리고 의미가 없어진 잎새들은

점점 색이 바래

형태를 잃어간다

마음 다잡기

나는 햇빛이다
나는 바람이다
나는 빗물이다
나는 흔들리지 않는 나무이다

나는 할 수 있다
나는 할 수 있다

간격

글자와 글자 사이의 간격

문장과
.
다음 문장과의 간격

사람과 사람 사이의 간격
.
.
.
.
.
은 이 정도?

붙으면붙을수록답답해보이고대화도안된다모든걸다안다고생각하
고모든일에간섭을하게되는거같다

간격이 필요하다고 생각한다.

★
크리스마스

크리스마스가 다가오면
나도 모르게 기분이 좋다

새로 나온 캐롤도 듣고 분위기를
맞춰 꾸민 트리도 보고 온 세상이 성탄절
하루를 기다리는 모습을 볼 수 있다 언제 어디서든

준비하는 과정이 설레고 좋으니까
나도 크리스마스트리를 꾸며보려고한다 준비하는 과정이랄까

우리
모두
행복한
크리스마스
보내요

메리 크리스마스

나는 진정한 어른인가에 대하여 고민해봅니다.
내가 받았던 상처에 어쩔 줄 모르고 몰라

다른 사람들을 상처 입히지는 않았는지
그 상처들을 품어주고 감싸 안아주는 사람이었는지.

오늘 아침은 나의 상처도
당신의 상처도 풀어내고 싶은 아침입니다.

노희경 작가의 책에서 좋아하는 구절이 있다.
'어른이 된다는 건 상처 받았다는 입장에서
상처 주었다는 입장으로 가는 것.'

줄곧 나는 힘든 것만 토해내느라 어른이 되지 못한 채
나이만 먹은 어린애로 유예하며 살았다.

-
하니니의 '나는 나를 못 믿어' 中

72

금복은 믿을 수 없는 거대한 생명체에 압도되어
그저 입을 딱 벌린 채 온몸을 부들부들 떨었다.

물고기는 거대한 꼬리로 철썩 바닷물을 한번 내리치고
곧 물속으로 사라졌다.

그녀가 다시 고향에 들어간다면 사람들에게 자신의 눈으로
직접 목격한 믿을 수 없을 만큼 큰 물고기와
마을의 저수지보다 수십 배 더 넓고
거대한 바다에 대해 이야기를 들려줘야겠다고 생각했다.

하지만 예나 지금이나 소망을 이루기란 어려운 법

그녀의 인생에서 그런 날은 영영 오지 않았다.

소설 '고래'中
저자 : 천명관

멀면 먼 대로 할 수 있는 게 없다며 외면하고,
가까우면 가까운 대로 공포와 두려움이 너무 크다며
아무도 나서지 않았다.

대부분의 사람들이 느껴도 행동하지 않았고
공감한다면서 쉽게 잊었다.

내가 이해하는 한, 그건 진짜가 아니었다.
그렇게 살고 싶진 않았다.

–
소설 '아몬드' 中
저자 : 손원평

책에는 빈 공간이 많기 때문이다.

단어 사이도 비어있고
줄과 줄 사이도 비어있다.

나는 그 안에 들어가 앉거나 걷거나
내 생각을 적을 수도 있다.

-
소설 '아몬드' 中
저자 : 손원평

상대가 넘어지는 것을 보면,
그 상황이 아무리 공을 툭 차면 골문으로 들어갈 수 있는 좋은
찬스라 해도 공은 바깥으로 차내라.

사람부터 챙겨라
너는 축구선수이기 이전에 사람이다.

사람이 먼저다.

-
에세이 '모든 것은 기본에서 시작한다' 中
저자 : 손웅정

사람은 저마다 다르다.
각자가 다른 개성을 지녔다.
김용택 시인의 말을 기억해본다.

"나무는 정면이 없다.
바라보는 쪽이 정면이다.

나무는 경계가 없다.
모든 것이 넘나든다.

나무는 볼 때마다 완성되어 있고,
볼 때마다 다르다"

아이들은 그렇게 한 그루, 한 그루의 나무다.

–
에세이 '모든 것은 기본에서 시작한다' 中
저자 : 손웅정

겸손하라

네게 주어진 모든 것들은 다 너의 것이 아니다.

감사하라

세상은 감사하는 자의 것이다.
욕심을 버리고 마음을 비워라
마음을 비운 사람보다 무서운 사람은 없다.

-
에세이 '모든 것은 기본에서 시작한다' 中
저자 : 손웅정

안 아프면 성장하고 있지 않다는 뜻이야.
항상 조금은 아파야 해.

원하는 것을 얻기 위해서 항상 아파야 한다면,
아픔을 즐기는 게 가장 현명한 것

아프자.

–
에세이 'HEAT' 中
저자 : 스윙스

2024년 제가 읽은 책들에서
좋다고 생각한 글들을 가져왔습니다.

성장에 대한 내용도 있고
"어른이란 어떤 걸까?"라는 고민을 던지는 글도 가져왔고
소설 속에서 표현된 인상 깊은 문장들도 있습니다.

책은 이런 게 참 좋은 거 같습니다.
제가 평소에 생각도 안 하는 것들을 묻는 거 같아 신기합니다.

"난 이렇게 생각하는데, 넌 어떻게 생각해?" 이런 식으로요.

하니니의 '나는 나를 못 믿어' 中 에서
작가가 생각하는 어른은 상처를 받았다는 입장에서 주었다는
입장으로 바뀌는 것이라고 말하는데,

제가 생각하는 어른은 무엇이든 기다려줄 수 있는 사람인 거
같습니다.

이번엔 이 책의 저자인 제가
여러분들에게 한번 여쭤보려고 합니다

"여러분들은 진정한 어른이 무엇이라고 생각하시나요?"

-

여러분들이 생각하는 어른에 대한 견해가 다양하겠지만,
저는 좋은 어른이 많은 세상이 되었으면 좋겠습니다.

최규헌 올림

세상 물정 모르던 어린 시절
전부 알 것 같던 사춘기
다 큰 어른이라고 느끼던 학창 시절
스스로의 책임을 가지는 성년식

내 삶을 개척하는 성인
다른 이를 어깨에 걸고 가는 결혼
내 삶을 다 줘야 하는 엄마,

이제 다시 내 삶을 책임져야 하는 50대 중반

이제 무얼 하고 무얼 느끼고 무엇을 위해 앞으로 가야 하나
나의 삶은 항상 '나'가 없었다

눈 뜨고 눈 감을 때까지 한숨 쉴 시간 없을 정도로
단 한 번도 나를 위해,

나만을 위해 살아보지 못하니
이제 와 나를 위해 살아보려니 무엇을 어떻게 해야 하나

이제 와 나를 위해 살아보려 하니
어디서 어떻게 무엇을 해야 하나

이제 와 나를 위해 살아보려 하니
어떤 게 나를 행복하게 하고 웃게 하는 것인지 잊어버렸다

제목 미정_ 엄마가 쓴 시